Edition Schott

Hans Werner Henze

* 1926

Serenade

für Violoncello solo

(1949)

Fingersätze von
Albert Loerkens

ED 4330
ISMN 979-0-001-05105-7

www.schott-music.com

Mainz · London · Berlin · Madrid · New York · Paris · Prague · Tokyo · Toronto
© 1955 SCHOTT MUSIC Ltd, London · © renewed 1983 assigned to SCHOTT MUSIC GmbH & Co. KG, Mainz · Printed in Germany

Serenade

Fingersätze von
Albert Loerkens

Hans Werner Henze
(1949)

I

Adagio rubato

II

Poco Allegretto

III

IV

V

VI

VII

VIII

IX